贝贝熊系列丛书

宝宝成长故事

诚实宝宝

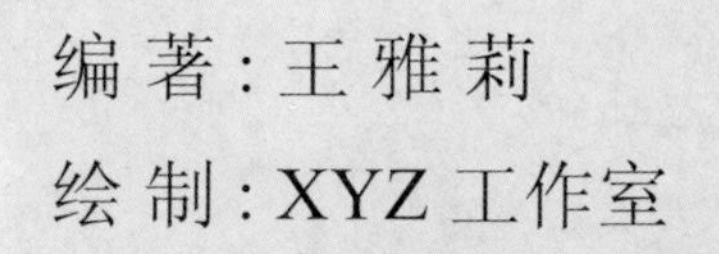

编著：王雅莉

绘制：XYZ 工作室

陕西旅游出版社

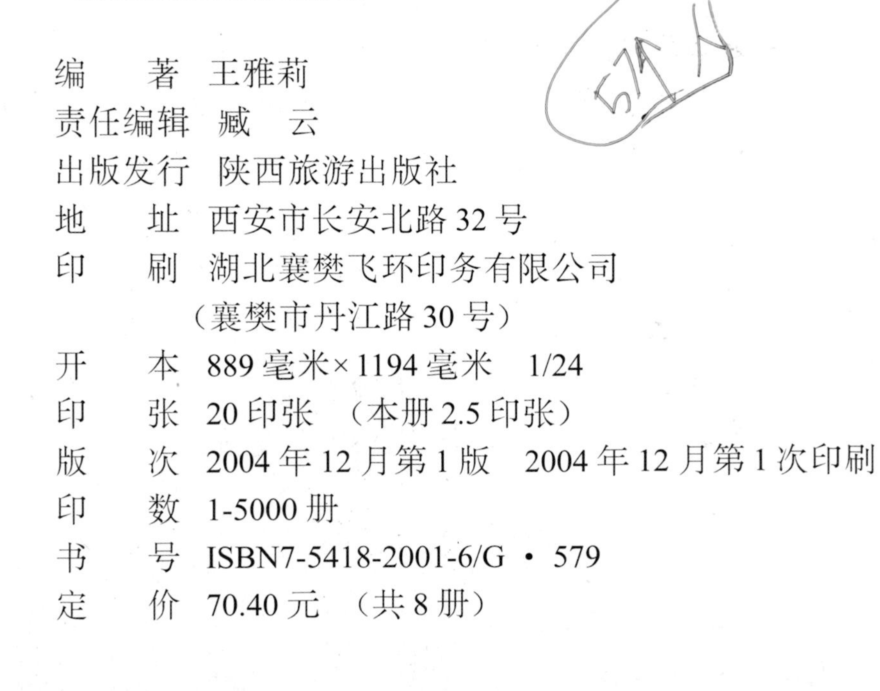

贝贝熊系列丛书

宝宝成长故事

编　　著　王雅莉
责任编辑　臧　云
出版发行　陕西旅游出版社
地　　址　西安市长安北路32号
印　　刷　湖北襄樊飞环印务有限公司
（襄樊市丹江路30号）
开　　本　889毫米×1194毫米　1/24
印　　张　20印张　（本册2.5印张）
版　　次　2004年12月第1版　2004年12月第1次印刷
印　　数　1-5000册
书　　号　ISBN7-5418-2001-6/G · 579
定　　价　70.40元　（共8册）

前言

“人之初，性本善。”孩子从出生到入学这一阶段是人的一生中非常重要的时期。如何针对孩子的心理和生理特点进行启蒙教育，将对孩子今后人生的发展产生巨大的影响。

启蒙教育，重在培养孩子健全的人格、优秀的品德，以及帮助他(她)养成良好的学习和生活习惯，以促进孩子身心和谐、健康地成长。怎样才能做到这一点呢？实践证明，采取孩子喜爱的一些主题鲜明、情节生动、寓意深刻的童话故事来进行阐述，孩子更容易理解和接受。

根据广大父母的要求，我们精心编辑了这套以图为主、内容贴近孩子生活的童话。其中的主角都是孩子们喜欢的小动物，既有知识性，又有趣味性。文字简单易懂，语句生动。另外，我们在每个故事的篇首还有针对性地提出了两个问题或指导性的建议，以帮助父母引导孩子加深理解。

愿这套不仅仅是故事的童话书能启迪您孩子的智慧，美化您孩子的心灵，陶冶您孩子的情操。

编 者

目录

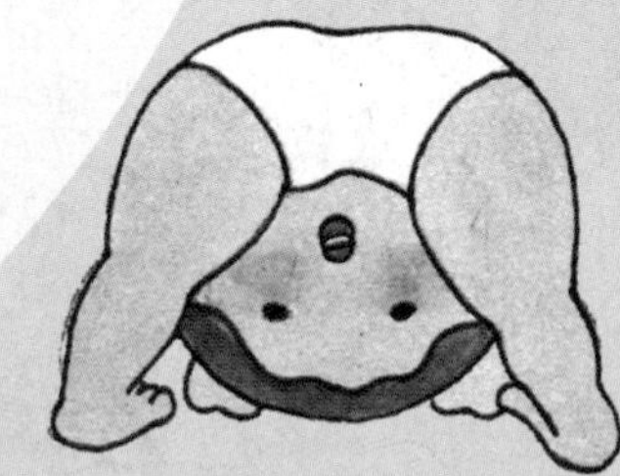

太阳娃娃和蓝天妈妈

写给妈妈的话

这个故事简单地介绍了云、雨、风以及彩虹等一些常见自然现象的变化规律。从而激发孩子热爱大自然、探索大自然的兴趣。

wō wō wō tài yáng wá wa qǐ chuáng
喔—喔—喔！太阳娃娃起床

le tā bèng bèng tiào tiào de chū mén wán qù le
了。他蹦蹦跳跳地出门玩去了。

tài yáng wá wa zài lù shàngpèng dào le yún jiě jie jiù hé yún jiě jie wán qǐ le zhuō mí
太阳娃娃在路上碰到了云姐姐，就和云姐姐玩起了捉迷
cáng de yóu xì tā men liǎ gè duǒ lái duǒ qù de wán de zhēn kāi xīn
藏的游戏。他们俩个躲来躲去的，玩得真开心。

hòu lái tiáo pí de yún jiě jie wéi zhù le
后来，调皮的云姐姐围住了
tài yáng wá wa tài yáng wá wa zuǒ tuī yòu dǎng
太阳娃娃。太阳娃娃左推右挡，
què shǐ zhōng chōng bù chū yún jiě jie de bāo wéi
却始终冲不出云姐姐的包围，
yǒu diǎn zhāo jí le
有点着急了。

zhè shí lán tiān
这时，蓝天
mā ma jiàn bù zháo tài
妈妈见不着太
yáng wá wa yě jí
阳娃娃，也急
de kū le qǐ lái
得哭了起来。
tā de lèi shuǐ biàn chéng
她的泪水变成
le huā huā de yǔ diǎn
了哗哗的雨点，
sǎ xiàng le dà dì
洒向了大地。

guò le yī huì er fēng pó po guò lái
过了一会儿，风婆婆过来
gǎn zǒu le táo qì de yún jiě jie
赶走了淘气的云姐姐。

tài yáng wá wa
太阳娃娃

yòu jiàn dào le lán tiān
又见到了蓝天

mā ma tā gāo xìng de
妈妈，他高兴地

xiàn gěi le lán tiān
献给了蓝天

mā ma yì tiáo cǎi
妈妈一条彩

hóng wéi jīn
虹围巾。

yī tiān guò qù le　tài yáng wá wa
一天过去了。太阳娃娃
huí dào jiā　tā tǎng zài dà hǎi de huái bào
回到家，他躺在大海的怀抱
lǐ　tián tián de shuì zháo le
里，甜甜地睡着了。

不受欢迎的蝙蝠

妈妈的提问

1、为什么大家都不喜欢蝙蝠呢？

2、你知道蝙蝠到底属于哪一类吗？

cóng qián sēn lín li de niǎo lèi hé shòu lèi wèi le zhēng duó dì pán jīng cháng fā shēng zhàn zhēng
从前，森林里的鸟类和兽类为了争夺地盘，经常发生战争。

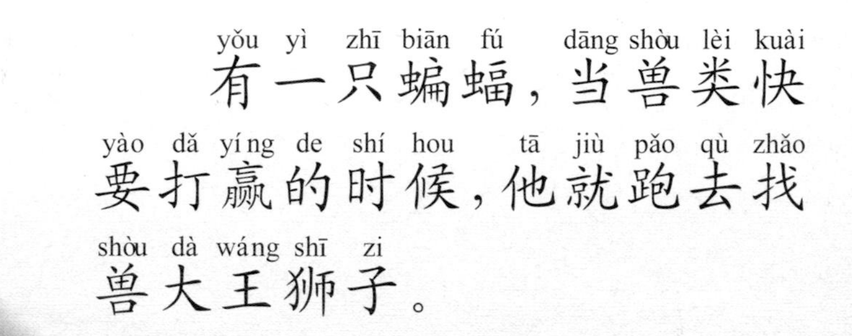

yǒu yì zhī biān fú dāng shòu lèi kuài
有一只蝙蝠，当兽类快
yào dǎ yíng de shí hou tā jiù pǎo qù zhǎo
要打赢的时候，他就跑去找
shòu dà wáng shī zi
兽大王狮子。

wǒ yǒu yá chǐ hé zhǎo zi wǒ yě shì shòu lèi
“我有牙齿和爪子，我也是兽类，
ràng wǒ jiā rù nín de duì wǔ ba
让我加入您的队伍吧。”

méi guò duō jiǔ niǎo lèi fā qǐ le měnggōng biān fú jiàn shì bú miào máng yòu pǎo qù
没过多久，鸟类发起了猛攻。蝙蝠见势不妙，忙又跑去
tóu kào le niǎo lèi
投靠了鸟类。

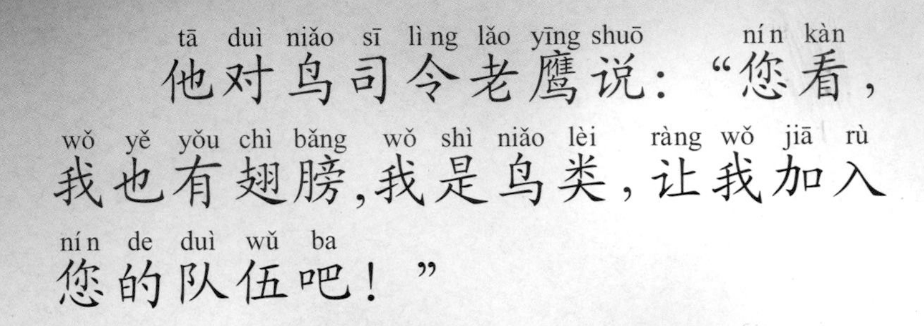

tā duì niǎo sī lìng lǎo yīng shuō nín kàn
他对鸟司令老鹰说：“您看，
wǒ yě yǒu chì bǎng wǒ shì niǎo lèi ràng wǒ jiā rù
我也有翅膀，我是鸟类，让我加入
nín de duì wǔ ba
您的队伍吧！”

hòu lái shī zi hé lǎo yīng shāng dìng shòu lèi
后来，狮子和老鹰商定：兽类
jū zhù zài dì shàng niǎo lèi jū zhù zài shù shàng hù
居住在地上，鸟类居住在树上，互
bù gān rǎo
不干扰。

ér biān fú ne yīn wèi
而蝙蝠呢，因为
dà jiā dōu bù xǐ huan tā
大家都不喜欢他。
suǒ yǐ tā yí gè rén zhù zài
所以他一个人住在
dòng xué li dào le wǎn shàng
洞穴里，到了晚上
cái chū lái huó dòng yí xià
才出来活动一下。

妈妈的提问

1、你知道哪吒有哪几样宝贝吗？

2、请你再讲几个关于哪吒的故事？

táng cháo jiāng jūn lǐ jìng de fū rén
唐朝将军李靖的夫人
shēng le yí gè ròu qiú lǐ jìng yǐ
生了一个肉球。李靖以
wéi shì gè yāo guài yí jiàn pī guò qù què bèng
为是个妖怪，一剑劈过去，却蹦
chū lái yī gé fěn dū du de nán hái
出来一个粉嘟嘟的男孩。

hòu lái yí wèi lǎo shén xiān shōu tā zuò le tú
后来，一位老神仙收他做了徒

dì gěi tā qǔ míng né zhā hái sòng gěi tā liǎng jiàn
弟。给他取名哪吒，还送给他两件

bǎo bèi yí zhī qián kūn quān yì tiáo hùn tiān líng
宝贝：一只乾坤圈，一条混天绫。

yì tiān né zhā ná chū hùn tiān líng zài hǎi
一天，哪吒拿出混天绫在海
shuǐ li yì huàng jiù xiān qǐ le tāo tiān jù làng
水里一晃，就掀起了涛天巨浪。
dōng hǎi lóng wáng máng pài sān tài zi dài zhe xiā bīng
东海龙王忙派三太子带着虾兵
xiè jiàng lái zhuō ná tā
蟹将来捉拿他。

哪吒把虾兵蟹将们打得落荒而逃，还把三太子打得现出了龙形，并抽出了他的龙筋。

dōng hǎi lóng wángshàng mén zhǎo lǐ jì ng wèn zuì
东海龙王上门找李靖问罪。
lǐ jì ng yí kàn né zhā shǒuzhōng ná zhe de lóng jīn
李靖一看哪吒手中拿着的龙筋，
yě shǎ le yǎn
也傻了眼。

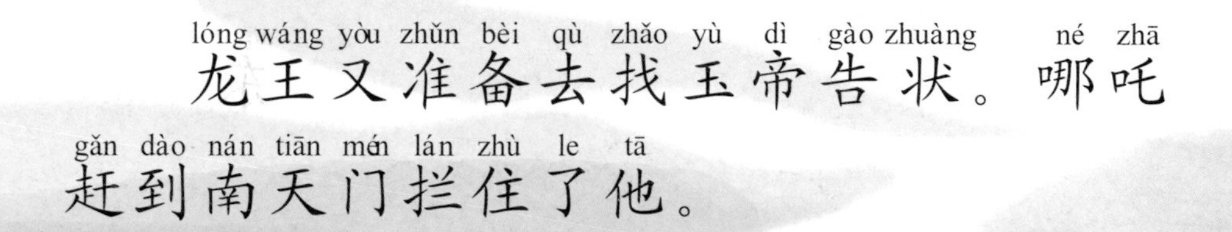

lóng wáng yòu zhǔn bèi qù zhǎo yù dì gào zhuàng né zhā
龙王又准备去找玉帝告状。哪吒
gǎn dào nán tiān mén lán zhù le tā
赶到南天门拦住了他。

sì hǎi lóng wáng yú shì yì qǐ lái zhǎo né zhā
四海龙王于是一起来找哪吒
bào chóu wèi le bù lián lèi dà jiā né zhā bá
报仇。为了不连累大家，哪吒拔
chū bǎo jiàn zì shā le
出宝剑自杀了。

lǎo shén xiān gǎn guò lái hòu yòng hé yè hé
老神仙赶过来后，用荷叶、荷

huā nèn ǒu bǎi chéng rén xíng dà shēng jiào dào né
花、嫩藕摆成人形，大声叫道：“哪

zhā hái bú kuài kuài qǐ lái
吒，还不快快起来！”

né zhā mǎ shàng fù huó le lǎo
哪吒马上复活了。老
shén xiān yòu gěi le tā liǎng jiàn bǎo bèi
神仙又给了他两件宝贝：
yì bǐng huǒ jiān qiāng liǎng zhī fēng huǒ lún
一柄火尖枪、两只风火轮。
cóng cǐ né zhā gèng jiā shén yǒng le
从此，哪吒更加神勇了。

戴面具的大灰狼

妈妈的提问

1、大灰狼扮成了什么动物？

2、为什么小黄狗要抓大灰狼？

dà huī láng yī lián hǎo jǐ tiān méi
大灰狼一连好几天没
chī dōng xi è de lián zǒu lù de lì
吃东西，饿得连走路的力
qi dōu méi yǒu le
气都没有了。

zhè shí hú li jiàn yì bāng tā dǎ bàn
这时，狐狸建议帮他打扮

yí xià zhè yàng zhǎo dōng xi chī shí jiù huì
一下。这样，找东西吃时就会

róng yì yì xiē
容易一些。

yú shì dà huī láng àn zhào hú

于是，大灰狼按照狐

li de yì jiàn zhǔn bèi bàn chéng yì zhī

狸的意见，准备扮成一只

xiǎo shān yáng

小山羊。

dà huī láng dài shàng shān yáng tóu tào hòu
大灰狼戴上山羊头套后
chū lái zhǎo chī de le dāng tā yù jiàn liǎng
出来找吃的了。当他遇见两
zhī xiǎo mián yáng shí xiǎo mián yáng bì ng méi yǒu
只小绵羊时，小绵羊并没有
mǎ shàng pǎo kāi
马上跑开。

xì xīn de mián yáng mā ma fā xiàn zhāng yá
细心的绵羊妈妈发现张牙
wǔ zhǎo de xiǎo shān yáng bú duì jìn gǎn guò
舞爪的“小山羊”不对劲，赶过
lái jiù zǒu le xiǎo mián yáng
来救走了小绵羊。

dà huī láng yòu fā xiàn le liǎng zhī xiǎo tù zi
大灰狼又发现了两只小兔子。
zhè cì tā zhuāng chū hěn sī wén de yàng zi qīng shǒu
这次他装出很斯文的样子，轻手
qīng jiǎo de zǒu le guò qù
轻脚地走了过去。

cōngmíng de tù mā ma fā xiàn xiǎo shān yáng
聪明的兔妈妈发现“小山羊”
de yǎn guāng tài xiōng le pǎo guò lái bǎ tā dǎng zài le
的眼光太凶了，跑过来把它挡在了
zhà lán wài
栅栏外。

è jí le de dà huī láng yòu fā xiàn le yì zhī lǎo shān yáng xīn xiǎng xiān chī gè
饿急了的大灰狼又发现了一只“老山羊”，心想：“先吃个
lǎo de tián tian dù zi yě xíng
老的填填肚子也行。”

méi xiǎng dào lǎo shān yáng shì xiǎo huáng gǒu bàn de zhè huí tā zhōng yú bǎ zhuān gàn huài
没想到“老山羊”是小黄狗扮的。这回他终于把专干坏

shì de dà huī láng hé hú li zhuā zhù le
事的大灰狼和狐狸抓住了。

小老鼠偷西瓜

写给妈妈的话

为什么老鼠令人讨厌呢？因为它爱偷东西、爱搞破坏。告诉孩子，在生活中不要伤害别人、损人利己，要做一个人见人爱的好孩子。

tiān tài rè xiǎo zhū mǎi huí le yí gè
天太热，小猪买回了一个
dà xī guā jiě shǔ tā cháng le cháng wú
大西瓜解暑。他尝了尝，唔，
zhēn tián
真甜！

xiǎo zhū bào xī guā shí lèi
小猪抱西瓜时累
chū le yī shēn hàn jiù xiān qù
出了一身汗，就先去
xǐ zǎo le zhè shí jǐ zhī
洗澡了。这时，几只
sì chù liū dá de xiǎo lǎo shǔ fā
四处溜达的小老鼠发
xiàn le dà xī guā hā ha
现了大西瓜：“哈哈，
dà xī guā tài hǎo le
大西瓜！太好了！”

lǎo shǔ men xiǎng bǎ dà xī guā tōu huí jiā kě shì xī guā yòu dà yòu chén tā men gēn
老鼠们想把大西瓜偷回家，可是西瓜又大又沉，他们根
běn bān bú dòng yú shì lǎo shǔ men ná lái gōng
本搬不动。于是，老鼠们拿来工
jù wā de wā tái de tái bǎ lǐ miàn de
具挖的挖、抬的抬，把里面的
guā ráng dōu bān dào dòng lǐ qù le
瓜瓤都搬到洞里去了。

xiǎo zhū xǐ wán zǎo hòu huí lái yī kàn fā xiàn dà xī guā yǐ jīng bèi tāo kōng le tā
小猪洗完澡后回来一看，发现大西瓜已经被掏空了。他
zhī dào shì xiǎo lǎo shǔ men gàn de yā yā yā kě wù de lǎo shǔ
知道是小老鼠们干的。“呀——呀——呀！可恶的老鼠！”

xiǎo zhū xiǎng bǎ lǎo shǔ men zhuā zhù hǎo hǎo jiào xùn yī xià kě shì zěn yàng cái néng zhuā
小猪想把老鼠们抓住好好教训一下。可是，怎样才能抓

zhù tā men ne tā lái dào le hǎo péng you xiǎo māo jiā xiǎo māo gào su le tā yí gè zhuā lǎo
住他们呢？他来到了好朋友小猫家，小猫告诉了他一个抓老

shǔ de hǎo bàn fǎ
鼠的好办法。

xiǎo zhū huí jiā hòu yī jì ér xíng tā bǎ yì píng xiāng yóu dào jìn le kōng xī guā lǐ miàn
小猪回家后依计而行:他把一瓶香油倒进了空西瓜里面,
rán hòu jiù tǎng zài páng biān de chuáng shàng jiǎ
然后就躺在旁边的床上假
zhuāng shuì jiào jìng jìng de děng zhe
装睡觉,静静地等着
lǎo shǔ men de dào lái
老鼠们的到来。

guǒ rán bù dà yí huì er dòng lǐ de lǎo shǔ men jiù bèi xiāng pēn pēn de xiāng yóu wèi
果然，不大一会儿，洞里的老鼠们就被香喷喷的香油味

xī yǐn le guò lái tā men quán dōu pò bù jí dài de zuān jìn qù kuáng hē le qǐ lái
吸引了过来。他们全都迫不及待地钻进去狂喝了起来。

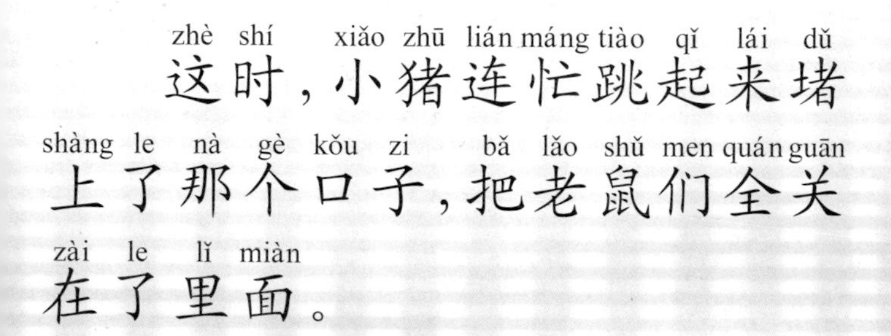

zhè shí xiǎo zhū lián máng tiào qǐ lái dǔ
这时，小猪连忙跳起来堵
shàng le nà gè kǒu zi bǎ lǎo shǔ men quán guān
上了那个口子，把老鼠们全关
zài le lǐ miàn
在了里面。

xiǎo zhū bǎ zhuāng mǎn le lǎo shǔ de dà xī guā diū jìn le xiǎo hé hào chī lǎn zuò de
小猪把装满了老鼠的大西瓜丢进了小河。好吃懒做的
lǎo shǔ men zhōng yú shòu dào le yīng yǒu de chéng fá
老鼠们终于受到了应有的惩罚。

爱美的花孔雀

妈妈的提问

1、你认为花孔雀是最美的吗？

2、你知道什么才是真正的美呀？

yǒu zhī kǒng què ài
有只孔雀爱
dǎ bàn tā jīng cháng zài
打扮。她经常在
dà huǒ miàn qián xuàn yào zì
大伙面前炫耀自
jǐ nà shēn piào liang de huā
己那身漂亮的花
yǔ yī
羽衣。

xiǎo huáng yīng fēi guò lái　huā kǒng què dà shēng hǎn dào
小黄莺飞过来。花孔雀大声喊道：
xiǎo huáng yīng　zán liǎ bǐ yì bǐ　kàn shuí zuì měi li
“小黄莺，咱俩比一比，看谁最美丽。”

duì bu qǐ xiǎo huáng yīng shuō wǒ yào qù cān jiā sēn lín yīn
“对不起。”小黄莺说：“我要去参加森林音

yuè huì shuō wán xiǎo huáng yīng tóu yě bù huí de fēi zǒu le
乐会。”说完，小黄莺头也不回地飞走了。

xiǎo shān què fēi guò lái huā kǒng què máng bǎ tā jiào zhù xiǎo shān què zán liǎ bǐ yì
小山雀飞过来，花孔雀忙把他叫住：“小山雀，咱俩比一

bǐ kàn shuí zuì měi li
比，看谁最美丽。”

duì bu qǐ nǐ kàn wǒ yào máng zhe gǎn dào
“对不起。你看，我要忙着赶到
guǒ yuán qù zhuō hài chóng ne xiǎo shān què shuō
果园去捉害虫呢！”小山雀说。

zhuó mù niǎo fēi guò lái huā
啄木鸟飞过来,花
kǒng què bú nài fán de shuō wèi
孔雀不耐烦地说:“喂!
shù dài fu zán liǎ bǐ yì bǐ
树大夫,咱俩比一比,
kàn shuí zuì měi li
看谁最美丽。”

zhuó mù niǎo kàn le kàn kǒng què shuō wǒ hái yào qù gěi dà shù zhì bì ng ne zài shuō

啄木鸟看了看孔雀说:“我还要去给大树治病呢。再说,

nǐ yě bù dǒng shén me cái shì zhēnzhèng de měi

你也不懂什么才是真正地美!”

huā kǒng què jiǎn zhí yào fā kuáng
花孔雀简直要发狂
le tā tiào dào gāo gao de shān pō shàng
了。她跳到高高的山坡上
zhí zhe bó zi gāo jiào zhe wǒ zuì
直着脖子高叫着：“我最
měi wǒ zuì měi
美！我最美！”

huā kǒng què jiù zhè yàng yì zhí zhàn zài shān pō shàng
花孔雀就这样一直站在山坡上

gāo hǎn zhe shēng yīn yuè lái yuè dī zhōng yú zhī chí bú
高喊着，声音越来越低，终于支持不

zhù cóng shān pō shàngshuāi le xià lái
住，从山坡上摔了下来。